Personajes de SANTI BALMES

Ilustraciones de Lyona

yo iré a la ESCUELA por ti

principal de los libros

Martina tenía mucho sueño. Esa noche había llovido y los truenos no la habían dejado dormir. Le habría gustado quedarse en la cama un poco más, pero era lunes y tenía que ir al colegio. Eso no le hacía demasiada gracia.

Anitram tampoco tenía muchas ganas de ir a la escuela.
Esa noche habían llovido golosinas
de fresa y era mucho más
divertido ver cómo su
libro monstruoso se las
comía una tras otra.

Lo que solo ellas sabían ...
era que en el patio de la escuela había un
árbol mágico que conectaba
el mundo de los niños
con el de los monstruos.

A Martina y Anitram les gustaba mucho
esconderse en él y hablar de sus cosas.
Ese día, decidieron que, como Martina se
aburría en su escuela y Anitram también
se aburría en la suya, se intercambiarían
e irían al colegio de la otra.

Cuando Martina salió del árbol, se encontró rodeada de monstruos. Al principio, les extrañó el aspecto de Martina, ¡no tenía colmillos! ¡Ni cuernos!

A los niños les daba miedo Anitram, ¡era peluda
y tenía un colmillo enorme!

—Pero parece suave —dijo una niña con un hilillo de voz.

Martina estaba encantada con su primera clase en la escuela monstruosa porque era de magia. Aprendió a sacar un dragón de un sombrero de copa y a dar vida a un lápiz, ¡aunque, sin querer, hizo que todos los lápices de la clase salieran corriendo!

Al oír cantar a sus nuevos compañeros en clase de música, Anitram no dudó ni un instante y empezó a cantar con ellos, pero cada vez que abría la boca, en lugar de cantar, croaba como una rana.

PROO
¡CROC CROOC!
LA LA LA
NI NI NIII

Martina no sabía que se podía hablar con las plantas, pero en clase de botánica se hizo amiga de una planta muy, muy bonita que se llamaba Yerdua. Tenía unos dientes enormes, pero Yerdua le explicó, muy seria, que ella nunca se comía a sus amigas.

¡Menos mal!

¡EUREKA!
$g = \frac{m}{R^2} = 9{,}8 m/s^2$
CH_3
O_2N
NO_2
NO_2

Anitram estaba entusiasmada con todo lo que le contaban en la clase de ciencias. Hablaban de las estrellas, el sol, la luna, el universo y todos los planetas. «¡La ciencia es alucinante!», pensó Anitram. «Es mejor que la magia, porque lo explica todo». Con la ciencia se podían hacer aviones, cohetes o microscopios. ¡Con la ciencia cualquiera podía convertirse en mago!

En la clase de chillidos Martina consiguió meterse a los monstruitos en el bolsillo. Todos aplaudieron cuando hizo su grito antihermanos y se dieron cuenta de que Martina no era tan distinta de ellos.

2 x 3
=6
1 - 1 = 0

Anitram escuchaba boquiabierta lo que la profesora les contaba.

—Los números están detrás de todas las cosas y, si aprendes a hablar con ellos, son como una llave mágica para abrir todas las puertas.

Con los números podías restar enfados, multiplicar risas y dividir tristezas, pero lo que más le gustaba a Anitram, era que, con los números, se podían sumar amigos.

En la clase de arte, Martina pintó a su familia. Cuando los demás le enseñaron sus dibujos, Martina no sabía si sus compañeros se lo inventaban o si en el país de los monstruos existían todas esas cosas de verdad.

A, E, I, O, U... letras y más letras que se pueden dibujar, cantar o pronunciar. Letras grandes y pequeñas. Anitram aprendió que había palabras que tenían nombre de monstruo, los palíndromos, palabras que se escribían igual del derecho que del revés. Y cuando escribió su nombre al revés, se llevó una enorme sorpresa.

Aa Ee Ii Oo Uu
PALINDROMOS
POP
ALA
RADAR
ANITRAM
MARTINA

Cuando sonó el timbre, Martina se despidió de
sus nuevos amigos y se dirigió al árbol mágico.
El árbol estaba perdiendo su
pelaje rosa.

Anitram dijo adiós a sus compañeros y, al entrar dentro del árbol mágico para volver a su casa, se dio cuenta de que el árbol había perdido la magia.

Martina recordó lo que había aprendido en clase de botánica y le preguntó al árbol por qué estaba tan triste.

—A la magia hay que alimentarla —contestó el árbol en su idioma.

—¡Agua! ¡Necesitamos agua! —exclamó Martina.

Todos sus amigos monstruosos formaron una cadena enorme con cubos de agua para regar el árbol y devolverle la magia.

En el mundo de los humanos,
uno de los niños le dijo a Anitram que
a las plantas les gustaba la música y que, quizá,
eso devolvería la alegría al árbol. Anitram pidió a todos
sus amigos que cantaran la canción más bonita que
conocieran debajo de la copa del árbol.

Gracias a la magia del agua,
el idioma de las plantas y la música,
el árbol recuperó sus colores y
el portal para cambiar de
mundo volvía a funcionar.
Martina y Anitram se metieron
en el árbol.

—¿Sabes? —dijo Anitram—. Se
aprenden un montón de cosas en
el colegio de los humanos.
—Sí —dijo Martina—, y en el de
los monstruos también. Nunca más
me querré quedar durmiendo por
la mañana. Nunca más.
Nunca más. Nunca.

Primera edición: noviembre, 2018

Este libro es una coedición de Futurbox Project S. L. y La Vecina del Ártico

Diseño de cubierta: Lyona

Publicado por Principal de los Libros
C/ Aragó, n.º 287, 2.º 1.ª
08009 Barcelona
info@principaldeloslibros.com
www.principaldeloslibros.com

ISBN: 978-84-17333-25-6
IBIC: YBC
Depósito Legal: B 24776-2018
Preimpresión: Lyona
Impresión y encuadernación: Liberdúplex
Impreso en España – Printed in Spain